习近平在亚太经合组织第二十七次领导人非正式会议上的讲话

人 民 出 版 社

目　　录

构建新发展格局　实现互利共赢

——在亚太经合组织工商领导人对话会上的主旨演讲

（2020 年 11 月 19 日，北京）

中华人民共和国主席　习近平

各位工商界朋友，

女士们，先生们，朋友们：

在全球共抗新冠肺炎疫情、探索世界经济复苏道路的重要时刻，很高兴通过视频方式同大家见面。

人类正处在一个特殊的历史时期。新冠肺炎疫情全球大流行，推动世界百年未有之大变局加速演进。世界经济深度衰退，全球产业链、供应链遭受冲击，治理赤字、信任赤字、发展赤字、和平赤字仍在扩大。单边主义、保护主义、霸凌行径上升，经济全球化遭遇逆流，加剧了世界经济中的风险和不确定性。

与此同时，和平与发展的时代主题没有改变，合作应对挑战是国际社会唯一选择。这场疫情再次说明，人类命运休戚与共，各国利益紧密相连，世界是不可分割的命运共同体。无论是赢得全球抗疫最终胜利，还是推动世界经济复苏，国际社会必须团结协作，共同应对危机考验。各国要守望相助、同舟共济，弘扬伙伴精神，密切政策沟通和协调，全面深化抗疫国际合作，坚持建设开放型世界经济，争取尽早战胜疫情，努力实现世界经济强劲、可持续、平衡、包容增长。

今年以来，面对突如其来的疫情，中国坚持人民至上、生命至上，14 亿人民上下一心，全国抗疫斗争取得重大战略成果。我们统筹疫情防控和经济社会发展工作，抓紧恢复生产生活秩序。前三季度，中国经济增长实现由负转正。这一成果来之不易，充分展现了中国经济的强大韧性和旺盛活力。中国经济发展稳中向好、长期向好的基本面没有变，我们完全有信心、有能力保持经济平稳运行，如期实现全面建成小康社会、打赢脱贫攻坚战的目标。

不久前，中共十九届五中全会审议通过了关于制定第十四个五年规划的建议，提出全面建成小康社会奋斗目标将如期实现，明年中国将开启全面建设社会主义现代化国家新征程，我们将科学把握新发展阶段，坚定贯彻新发展理念，积极构建以国内大循环为主体、国内国际双循环相互促进的新发展格局。我们提出构建新发展格局，是立足中国自身发展阶段和发展条件，充分考虑经济全球化和外部环境变化所作出的战略抉择。

第一，我们将扭住扩大内需战略基点，畅通国民经济循环。近年来，中国市场和资源两头在外的发展模式已经悄然改变，外贸依存度由 2006 年的 67%下降到 2019 年的近 32%，经常项目顺差同国内生产总值比率由 2007 年的 9.9%降至现在的不到1%。2008年国际金融危机发生以来，中国国内需求对经济增长的贡献率有7个年份超过100%，国内消费成为经济增长的主要动力。在推动经济双循环过程中，中国经济自主性和发展质量显著提升，构建新发展格局顺应了中国经济结构调整、推动高质量发展的内在需要。我们将继续深化供给侧结构性改革，在扩大内需上下更大功夫，使生产、分配、流通、消费更多依托国内市场，增强供给体系对国内需求的适配性，形成需求牵引供给、供给创造需求的更高水平动态平衡。

第二，我们将大力推动科技创新，打造经济发展新动能。当前，新一轮科技革命和产业变革加速发展，科技对提高社会生产力的贡献更加凸显。中国坚持把创新作为引领发展的第一动力，推进创新驱动发展战略，取得显著成就。随着中国进入新发展阶段，支撑发展的要素条件发生了深刻变化，必须实现依靠创新驱动的内涵型增长。我们将依托超大规模市场优势和完备产业体系，加速科技成果向现实生产力转化，打造科技、教育、产业、金融紧密融合的创新体系，不断提升产业链水平，为中国经济长远发展提供有力支撑。

第三，我们将持续深化改革，充分激发市场活力。中国改革开放40多年的实践表明，改革是解放和发展社会生产力的关键。随着中国进入新发展阶段，改革也面临新任务，我们将拿出更大勇气、更多举措破除深层次体制机制障碍，推进国家治理体系和治理能力现代化。我们将不断提高贯彻创新、协调、绿色、开放、共享新发展理念的能力和水平，转变发展方式，推动质量变革、效率变革、动力变革，加快现代化经济体系建设，加强产权和知识产权保护，建设高标准市场体系，完善公平竞争制度，让各类市场主体活力充分涌流。

女士们、先生们、朋友们！

开放是国家进步的前提，封闭必然导致落后。当今世界，经济全球化潮流不可逆转，任何国家都无法关起门来搞建设，中国也早已同世界经济和国际体系深度融合。我们绝不会走历史回头路，不会谋求“脱钩”或是搞封闭排他的“小圈子”。

我们构建新发展格局，绝不是封闭的国内单循环，而是开放的、相互促进的国内国际双循环。

——在新发展格局下，中国市场潜力将充分激发，为世界各国创造更多需求。中国人均国内生产总值已经突破 1 万美元，有超过 4 亿中等收入人口，许多国际机构预计今年中国商品零售市场规模将达到 6 万亿美元。中国经济的不断发展，中国人民对美好生活的追求，将对来自世界各地更加多样化高品质的产品、技术、服务产生更多需求。尽管受到疫情冲击，中国货物贸易进口规模已基本恢复到去年同期水平。今年 9 月，在北京举办中国国际服务贸易交易会，吸引了 148 个国家和地区的 2.2 万家企业和机构线上线下参展参会。不久前，第三届中国国际进口博览会在上海成功举行，来自 124 个国家和地区的企业参展，展览面积进一步扩大，成交额进一步提升，达到 726.2 亿美元。我们将进一步降低关税和制度性成本，培育一批进口贸易促进创新示范区，扩大对各国高质量产品和服务进口。相信随着中国市场潜力不断激发，将为各国提供更广阔的市场机会，为世界经济稳定发展提供更强劲动力。

——在新发展格局下，中国开放的大门将进一步敞开，同世界各国共享发展机遇。对外开放是中国的基本国策，任何时候都不会动摇。今年以来，面对世界经济不稳定性不确定性明显增强，单边主义、保护主义蔓延，中国对外开放非但没有止步，而且推出了一系列扩大开放的政策措施，包括全面实施外商投资法及其实施条例、进一步缩减外商投资准入负面清单、稳步推动金融市场准入、出台海南自由贸易港建设总体方案、强化深圳和浦东的改革开放举措、深化服务贸易创新发展试点等。我愿重申，中国对外开放的决心坚定不移，对外开放的大门会越开越大。我们将继续推动贸易和投资自由化便利化，同更多国家商签高标准自由贸易协定，积极参与多双边区域投资贸易合作机制，打造更高水平的开放型经济。完善外商投资准入前国民待遇加负面清单管理制度，依法保护外资企业合法权益，有序扩大服务业对外开放，持续打造市场化、法治化、国际化营商环境。赋予自由贸易试验区更大改革自主权，建设对外开放新高地。与此同时，我们将继续坚定支持多边贸易体制，更加积极地参与全球经济治理体系改革，推动建立更加公平合理的国际经济治理体系。

——在新发展格局下，中国的对外合作将不断深化，同世界各国实现互利共赢。我们将更加积极地参与国际分工，更加有效地融入全球产业链、供应链、价值链，更加主动地扩大对外交流合作。凡是愿同中国合作的国家、地区、企业，我们都会积极开展合作。我们将继续高举开放合作大旗，坚持多边主义和共商共建共享原则，推动高质量共建“一带一路”，推进同各国、各地区发展战略和互联互通规划对接，加强政策、规则、标准融通，同各国不断深化基础设施建设、产业、经贸、科技创新、公共卫生、人文等领域务实合作，把“一带一路”打造成合作之路、健康之路、复苏之路、增长之路，加强绿色发展合作，为推动世界共同发展、构建人类命运共同体贡献力量。

女士们、先生们、朋友们！

亚太是我们的共同家园，维护亚太和平稳定、促进发展繁荣符合我们的共同利益。亚太各国既有人员密切往来之利，也有跨洋相望的地利之便。我们顺应市场规律，抓住经济全球化、区域经济一体化机遇，领风气之先，走在了世界经济增长的前列。亚太地区发展和区域经济合作深化，有其深刻的历史必然性，符合亚太各国人民愿望，也必将继续展现出强大生命力。

去年，我提出构建开放包容、创新增长、互联互通、合作共赢的亚太命运共同体。今年，在各方共同参与下，亚太经合组织制定出2020年后的宏伟愿景，为未来一个时期亚太经济合作提供了重要指引。我们要深化命运共同体意识，持续推进区域经济一体化，加快创新发展步伐，促进区域互联互通，实现包容和可持续发展，把愿景一步步转变为现实，为亚太人民造福。

亚太工商界是引领和推动经济增长的重要力

量，你们是亚太发展和合作成就的贡献者和见证者，也是亚太未来发展的建设者和受益者。当今世界面临更为复杂多元的挑战，亚太合作也进入新的历史阶段。工商界需要更开阔的格局、更坚韧的企业家精神。相信这会给你们带来更广阔的发展空间。希望大家做开放发展的推动者，促进贸易和投资自由化便利化，维护亚太产业链、供应链安全稳定，推动亚太经济率先走向复苏、走向繁荣。希望大家做创新增长的探索者，大胆推动组织创新、技术创新、市场创新，使亚太成为科技"沃土"、创新"高地"。希望大家做互利共赢的合作者，深挖合作潜力，做大合作蛋糕，造福各国人民。希望大家做社会责任的践行者，积极参与国际抗疫合作，关注和帮扶弱势群体，为全球发展注入更多正能量。

女士们、先生们、朋友们！

疫情终将过去，胜利必将到来。让我们携起手来，风雨同舟、守望相助，坚持开放合作，畅通内外循环，共创共享亚太和世界更加美好的未来！

携手构建亚太命运共同体

——在亚太经合组织第二十七次领导人非正式会议上的发言

（2020 年 11 月 20 日，北京）

中华人民共和国主席　习近平

尊敬的穆希丁总理，

各位同事：

很高兴通过视频连线方式同大家相聚，感谢穆希丁总理和马来西亚政府为筹备这次会议作出的努力。

亚太经合组织成立以来的 30 多年，是世界格局加速演变、全球治理深刻重塑的 30 多年，也是亚太地区发生翻天覆地变化的 30 多年。

30多年来，亚太经合组织合作不断深化，取得长足进展：我们以茂物目标为指引，不断提升区域经济一体化水平。我们推动贸易投资自由化便利化和经济技术合作两个轮子一起转，努力实现优势互补和均衡发展。我们倡导开放的地区主义，探索出自主自愿、协商一致、灵活务实、循序渐进的"APEC方式"。这期间，亚太地区经受住了两次金融危机的考验，10多亿人摆脱贫困，成为世界经济增长中最强劲、最活跃的一个板块，为构建开放型世界经济、支持多边贸易体制、引领经济全球化发挥了积极作用。

当前，世界和亚太正在经历深刻变革，新冠肺炎疫情暴发加速了这一趋势。世界经济陷入低迷，经济全球化遭遇逆风，单边主义、保护主义抬头，公平和效率、增长和分配、技术和就业等矛盾更加突出，贫富差距仍普遍存在，全球治理体系面临新的挑战。亚太地区数十年来第一次出现经济整体负增长，保护人民健康、实现经济复苏任务艰巨。亚太合作未来的路怎么走，关乎地区发展，关乎人民福祉，关乎世界未来。

今年，亚太经合组织的一项重要任务是开启2020年后的合作愿景，我们达成了共建亚太共同体的目标。我们应该以此为新起点，开启亚太合作新阶段，延续亚太地区强劲发展势头，迎接亚太地区共同繁荣未来，共同构建开放包容、创新增长、互联互通、合作共赢的亚太命运共同体。

第一，坚持开放包容。世界经济正如我们身边的太平洋，汇聚千流、连通四海，铸就了浩瀚宽广的胸怀，孕育了波涛澎湃的活力。在平等相待基础上开展合作，在相互尊重基础上化解分歧，是亚太经济发展繁荣的根本。一路走来，亚太经合组织致力于推动区域经济一体化，围绕落实茂物目标取得了长足进展，也在引领多边贸易体制演变上发挥了重要作用。但是，实现自由开放的贸易和投资绝非可以一蹴而就。亚太地区要继续领风气之先，坚决维护和平稳定，坚定捍卫多边主义，坚持构建开放型世界经济，毫不动摇支持以世界贸易组织为核心的多边贸易体制，促进自由开放的贸易和投资，引导经济全球化朝着更加开放、包容、普惠、平衡、共赢的方向发展。我们要继续推进区域经济一体化，早日建成亚太自由贸易区。中方欢迎区域全面经济伙伴关系协定完成签署，也将积极考虑加入全面与进步跨太平洋伙伴关系协定。我们在推动自由开放贸易的同时，经济技术合作也不能放松。我们要继续落实亚太经合组织高质量增长战略和包容行动议程，照顾发展中成员关切，特别关注妇女等群体面临的特殊困难，支持中小微企业发展，促进包容和可持续增长。中方将举办包容性贸易和投资研讨会，就贸易和投资政策广泛惠及人民提出建议。我们愿同各方一道把有关建议落到实处。

第二，坚持创新增长。数字经济是全球未来的发展方向，创新是亚太经济腾飞的翅膀。我们应该主动把握时代机遇，充分发挥本地区人力资源广、技术底子好、市场潜力大的特点，打造竞争新优势，为各国人民过上更好日子开辟新可能。我们要全面落实亚太经合组织互联网和数字经济路线图，促进新技术传播和运用，加强数字基础设施建设，消除数字鸿沟。我们要完善经济治理，努力营造开放、公平、公正、非歧视的营商环境。中方今年开展智慧城市案例研究，将推动制定智慧城市指导原则，为亚太创新城市发展提供样板。中方提出倡议，推动各方分享数字技术抗疫和恢复经济的经验，倡导优化数字营商环境，激发市场主体活力，释放数字经济潜力，为亚太经济复苏注入新动力。明年，中方还将举办数字减贫研讨会，发挥数字技术优势，助力亚太地区消除贫困事业。

第三，坚持互联互通。互联互通是区域经济一体化的重要基础，也是实现全球联动发展的必要条件，其重要性在疫情背景下就显得更加突出。我们要继续推进落实亚太经合组织互联互通蓝图，畅通人员、货物、资金、数据安全有序流动，实现亚太地区无缝联接。中方已经同印尼、韩国、新加坡等成员开通了疫情期间人员流动“快捷通道”，将继续建设人员流动便利化网络。我们要推动国际防疫健康信息互认。中方愿同各方一起积极稳妥推进货物“绿色通道”建设，提高通关效率，打通堵点、连接断点，推动搭建国际产业链、供应链合作平台，维护全球和地区产业链、供应链安全畅通运转。我们要促进各方发展规划和互联互通倡议彼此对接，形成合力。中方愿同各方携手高质量共建“一带一路”，为亚太互联互通建设搭建更广阔平台，为亚太和世界经济注入更强劲动力。

第四，坚持合作共赢。亚太各成员发展高度互补，利益深度融合。亚太经济合作从来不是零和博弈、你输我赢的政治游戏，而是相互成就、互利共赢的发展平台。马来西亚有句谚语，“遇山一起爬，遇沟一起跨”。这正是亚太大家庭精神的精髓。疫情再度告诉我们，只有团结合作，才能战胜挑战。我们要深化互信、包容、合作、共赢的亚太伙伴关系，秉持共商共建共享理念，不断提升区域合作水平，做大亚太合作蛋糕，实现共同繁荣。我们要在协商一致基础上推进务实合作，妥善处理矛盾和分歧，维护亚太合作正确方向，让亚太经合组织行稳致远。

应对疫情是当前最紧迫的任务。我们要加强疫苗研发和交流，努力让疫苗成为全球公共产品，促进疫苗在发展中国家的可及性和可负担性。中方已经加入“新冠肺炎疫苗实施计划”。中方支持亚太经合组织加强公共卫生、中小微企业等领域政策交流和能力建设，提出远程医疗倡议，让贫困和偏远地区人民得到及时、有效医治，助力抗疫合作和经济复苏。

中方高度重视亚太经合组织作用，将继续支持亚太经合组织发展，始终不渝扎根亚太、建设亚太、造福亚太。

各位同事！

今年，中国人民经过艰苦卓绝努力，取得抗疫斗争重大战略成果。中国同各国携手合作、共克时艰，为全球抗疫贡献了智慧和力量。中方毫无保留同各方分享防控和救治经验，向其他国家和国际组织提供力所能及帮助，以实际行动推动构建人类卫生健康共同体。我们统筹疫情防控和经济社会发展，加强宏观政策应对力度，推动中国经济稳步前行、逐步向好、不断升级。今年，中国经济前三季度同比增长 0.7%，全年实现正增长已成定局，特别是现行标准下农村贫困人口将实现全面脱贫。

不久前，中共十九届五中全会审议通过了关于制定第十四个五年规划的建议，提出全面建成小康社会奋斗目标将如期实现，明年中国将开启全面建设社会主义现代化国家新征程，我们将科学把握新发展阶段，坚定贯彻新发展理念，积极构建以国内大循环为主体、国内国际双循环相互促进的新发展格局。中国将建设更高水平开放型经济新体制，创造更具吸引力的投资和营商环境。

中国愿同亚太各方一道，共创共享亚太和平繁荣美好未来，向构建人类命运共同体目标不断迈进。

谢谢大家。

图书在版编目（CIP）数据

习近平在亚太经合组织第二十七次领导人非正式会议上的讲话/习近平 著. —北京：人民出版社，2020.12

ISBN 978 - 7 - 01 - 022780 - 1

Ⅰ. ①习… Ⅱ. ①习… Ⅲ. ①习近平-讲话-学习参考资料 Ⅳ. ①D2-0

中国版本图书馆 CIP 数据核字（2020）第 240909 号

（RMC - ZJDXI - 105 - 20201119）

习近平在亚太经合组织第二十七次领导人非正式会议上的讲话

XIJINPING ZAI YATAI JINGHE ZUZHI DI ERSHIQICI LINGDAOREN FEI ZHENGSHI HUIYI SHANG DE JIANGHUA

（2020 年 11 月 19 日）

习 近 平

人民出版社 出版发行
（100706 北京市东城区隆福寺街 99 号）

北京新华印刷有限公司印刷 新华书店经销

2020 年 12 月第 1 版 2020 年 12 月北京第 1 次印刷
开本：880 毫米×1230 毫米 1/32 印张：0.75
字数：8 千字

ISBN 978 - 7 - 01 - 022780 - 1 定价：2.50 元

邮购地址 100706 北京市东城区隆福寺街 99 号
人民东方图书销售中心 电话（010）65250042 65289539